Pomme et le magasin
des petites filles pas sages

Christian Lehmann

Pomme et le magasin des petites filles pas sages

Illustrations de
Mette Ivers

Mouche
l'école des loisirs

11, rue de Sèvres, Paris 6e

© 1994, l'école des loisirs, Paris
Loi n° 49.956 du 16 juillet 1949 sur les publications
destinées à la jeunesse : mars 1996
Dépôt légal : mars 1996
Imprimé en France par à Hérissey à Évreux

À Quitterie

Pomme n'était pas une petite fille très sage.

Depuis son réveil, où elle déboulait dans la chambre de ses parents et sautait à pieds joints sur leur lit en hurlant: «Je veux mon chocolat chaud! TOUT DE SUITE!» jusqu'au soir, où elle s'endormait devant la télévision en visionnant ses dessins animés préférés: *La Vengeance du grand méchant loup* et *Bambi et l'ouverture de la chasse*, elle laissait derrière elle une traînée de désastres domestiques: petits camarades de classe estropiés ou poussés dans l'escalier, chat de la maisonnée enfermé pendant des heures dans le piano, chambre des parents transformée en zone de catastrophe naturelle…

En grandissant, son caractère devenait insupportable. Si bien qu'un jour, excédé, le père de Pomme laissa éclater sa colère et la menaça comme il ne l'avait jamais fait jusqu'alors : « SI TU CONTINUES COMME ÇA, JE TE RAMÈNE AU MAGASIN DES PETITES FILLES PAS SAGES ! »

Dès qu'elle eut entendu parler de ce « magasin des petites filles pas sages », Pomme n'eut plus qu'une idée en tête. Elle subit, en silence pour

une fois, les remontrances de la maî-
tresse, le bain que lui fit prendre son
papa, le pyjama tout neuf que sa
maman lui avait acheté pour rem-

placer l'ancien, raccourci avec la
tondeuse à gazon. Sa mère, après
avoir mis une jolie barrette dans ses

cheveux enfin démêlés, toucha le front de Pomme à plusieurs reprises et constata que sa fille n'avait pas de fièvre. Et pourtant elle se coucha dans son propre lit ce soir-là, sans rien dire. Ahuris, et légèrement inquiets, ils retrouvèrent leur chambre avant la nuit tombée et s'endormirent, épuisés, en rêvant d'une petite fille sage qui les couvrait de baisers au réveil et faisait la joie de leur foyer.

*
* *

Lorsque enfin leur respiration devint plus régulière, Pomme bondit hors de son lit et envoya valser à l'autre bout de sa chambre son pyjama à fleurs avec dégoût. Elle se glissa dans son jean rapiécé, endossa un tee-shirt bien imprégné de sueur, une paire de baskets boueuses et, sans un regard en arrière, se laissa glisser par la fenêtre le long de la gouttière.

Ce n'était pas une nuit à mettre une petite fille dehors. Le ciel était noir. Des nuages menaçants cachaient la lune. La pluie s'était mise à tomber, un fin crachin glacial qui eut tôt fait de pénétrer ses vêtements. Pomme avançait, laissant bientôt les maisons derrière elle. Elle erra le long de quais déserts, accompagnée par une cohorte bruis-

sante de rats qui la suivaient dans
l'ombre des poubelles éventrées.
Enfin, transie de froid, dans une
ruelle où toutes les boutiques semblaient avoir fait faillite, une faible

lueur attira son regard sur une vitrine noire de crasse et d'insectes morts. Des mots autrefois ornaient le fronton de la boutique, mots que la pluie avait, au fil des ans, presque effacés. Pomme fixa la vitrine, tâchant de voir à l'intérieur. Une petite flamme vacillante illuminait très faiblement un coin de la boutique qui semblait déserte. S'approchant de la porte, Pomme remarqua enfin les lettres gothiques gravées dans le verre de la vitre, autrefois dorées mais aujourd'hui noires de suie accumulée, qui annonçaient :

AU MAGASIN DES PETITES

FILLES PAS SAGES

et, en dessous, en plus petit :
Monsieur SANDOR, propriétaire.

Pomme posa la main sur la poignée métallique de la porte, qui s'ouvrit d'elle-même, laissant échapper un parfum indéfinissable de cendre et de regrets. Elle pénétra à l'intérieur. Un petit carillon sonna. Pomme balaya du regard la grande pièce encombrée de vieilles caisses poussiéreuses.

« Bonsoir, Mademoiselle. Que pouvons-nous faire pour vous ? »

Un grand homme maigre, habillé de sombre, s'était matérialisé dans l'ombre à ses côtés.

« Vous êtes le propriétaire ? » demanda Pomme, et elle s'étonna que sa voix fût soudain si tremblotante. « J'ai dû prendre froid à la gorge », pensa-t-elle.

« Effectivement, répondit Monsieur Sandor, car c'était lui. Nous sommes le propriétaire.»

«Je cherche le magasin des petites filles pas sages», réussit-elle encore à articuler.

«Par une nuit aussi noire? Nous sommes flatté de votre intérêt... Justement, nous y sommes», dit-il en désignant l'intérieur de sa boutique poussiéreuse d'un grand geste du bras, arrachant au passage des lambeaux de toiles d'araignées qui collèrent à sa manche comme une aile translucide et gluante.

«Nous cherchions un modèle en particulier? demanda enfin Monsieur Sandor, avec un pâle sourire qui

dévoila des dents minuscules, acérées,
dans une bouche trop sombre.

« C'est que... je ne cherche pas à
acheter... »

Les yeux de Monsieur Sandor
brillèrent d'un éclair fugitif dans

l'obscurité, et sa main aux ongles fendillés serra un moment le tissu de sa veste, y laissant une vilaine empreinte.

« Nous… ne… venons… pas… pour… acheter… » Il semblait osciller entre la colère et l'incrédulité, et pour l'amadouer, sans réfléchir, Pomme continua :

« Je viens ramener un ancien modèle. »

Monsieur Sandor s'immobilisa. Un souffle d'air sec sortit de sa poitrine, et les toiles d'araignées sur son costume gonflèrent l'espace d'un instant, comme s'il était un vaisseau fantôme gonflant ses voiles avant de quitter le port.

« Je ne veux plus rester chez mes parents. Ils sont trop gentils, trop mous. Je veux retrouver des vraies copines, pouvoir faire toutes les bêtises qui me passent par la tête... »

Le sourire de Monsieur Sandor s'agrandit, et il se mit à dodeliner de la tête. Son menton tremblait maintenant, et ses ongles griffaient le tissu de sa veste avec un bruit de paille sèche.

«Nous sommes revenue au magasin des petites filles pas sages... toute seule... sans nos parents?»

Pomme acquiesça :

«Oh oui, ils dorment à cette heure-ci! Jamais ils ne m'auraient permis de sortir en pleine nuit comme ça!»

Le rire de Monsieur Sandor éclata enfin, et dans les recoins du magasin la poussière elle-même se recroquevilla en petits tas pour se faire oublier.

Pomme voulut faire marche arrière, dire qu'elle avait fait une erreur, qu'elle avait oublié le chat dans le piano, qu'elle n'était pas certaine d'avoir vidé la baignoire et qu'elle reviendrait plus tard. Mais la main de Monsieur Sandor s'était abattue sur son épaule, et d'un geste il l'avait soulevée de terre et la tenait maintenant devant son visage grimaçant. Son rire enflait, étouffant Pomme sous l'odeur acide de toutes les erreurs jamais commises et de tous les regrets inutiles. Trop tard, elle voulut se débattre, et sa main frappa Monsieur Sandor au visage, arrachant une couche blanchâtre de fond de teint sous lequel, un court instant, elle entrevit son vrai visage.

Monsieur Sandor poussa un cri de rage ; plus prestement qu'elle ne

l'en aurait cru capable, il pivota sur
ses talons avec un bruit d'accident de

chemin de fer et marcha jusqu'à
l'arrière-boutique. Là, ouvrant une
porte fermée à clef, il jeta un dernier

regard à Pomme et lui dit: «Nous avons maintenant ce que nous étions venus chercher, Mademoiselle! Tout est bien qui finit bien!»

Et avec ce dernier mot, il envoya rouler Pomme dans l'obscurité de la cave du magasin des petites filles pas sages.

*
* *

Une marche militaire ramena Pomme à ses esprits. Elle ouvrit les yeux dans le noir, frotta son front orné d'une énorme bosse. Au-dessus d'elle, les marches de l'escalier de bois branlant montaient vers la porte de la cave. Au centre de l'unique

grande pièce, une source de lueur
illuminait faiblement sa prison.
C'était un téléviseur, un vieux téléviseur noir et blanc parcouru de

grésillements. Une vingtaine de petites filles en guenilles fixaient le poste, l'air absent, immobiles, silencieuses. Pomme crut d'abord qu'il s'agissait de mannequins, mais lorsque l'une d'entre elles essuya négligemment son nez plein de morve sur son avant-bras, Pomme comprit qu'elle avait enfin trouvé ce qu'elle était venue chercher.

« Eh, les amies ! C'est moi, c'est Pomme ! Vous ne vous souvenez pas de moi ? »

Joignant le geste à la parole, Pomme se précipita vers ses nouvelles amies, en bouscula une ou deux pour s'asseoir au premier rang et fixa elle aussi le téléviseur. Une marionnette en bois mal peint gesticulait lamentablement devant un fond censé représenter un paysage de campagne, où Pomme pouvait apercevoir, malgré la mauvaise qualité de l'image, un morceau de Scotch et quelques agrafes.

«Qu'est-ce que c'est que ce dessin animé de nuls?» demanda Pomme à la cantonade. L'une des petites filles pas sages lui lança un regard noir puis, avec un haussement d'épaules, lui envoya à la figure la jaquette du film d'animation qu'elles étaient en train de visionner.

Pomme lut:

ANIMA-BUCAREST PREZENTA

DC-A ROSTOGOLUL

«Qu'est-ce que ça veut dire?»
demanda-t-elle à l'une de ses voi-
sines.

«J'en sais rien. C'est tout ce qu'on
a à regarder. Un dessin animé roumain sur les joies du service militaire
et une cassette de nettoyage du
magnétoscope.»

«Mais c'est archi-nul! s'exclama Pomme. Vous devez vous embêter comme des rats!»

«Tais-toi donc, reprit sa voisine. Je compte les sautes d'images pour passer le temps.»

Pomme se leva marcha jusqu'à un immense frigidaire qui trônait contre le mur du fond. La faim la tenaillait. Elle ouvrit la porte du frigidaire avec difficulté. Le bac de congélation était plein de petits pots de crème glacée. Elle poussa un cri de joie et s'empara d'une demi-douzaine de glaces avant de rejoindre ses consœurs devant le téléviseur. Un long générique en roumain défilait sur l'écran, agrémenté d'une musique militaire. Pomme ouvrit son premier petit pot de glace, trempa le doigt à l'intérieur – il n'y avait pas de petite cuillère en plastique comme chez ses parents, ses parents trop gentils, trop mous, trop propres ; pendant un instant elle ressentit un picotement au fond de la gorge et se dit que, c'était sûr, elle devait avoir pris froid pendant sa traversée de la ville. La glace fondit dans sa bouche, et le parfum avec. Elle poussa un hoquet de surprise, fut prise d'une violente quinte de toux. Sa voisine lui assena un grand coup de coude dans les côtes pour la faire taire.

«Chut! firent en chœur les petites filles pas sages. Ça commence!» Et effectivement, le message suivant apparut sur l'écran:

WHEN MESSAGE ON THIS HEAD CLEANING VIDEOTAPE IS CLEAR, STOP RECORDER.

WENN DER TEXT AUF DIESER REINIGUNGSCASSETTE KLAR LESBAR IST, 'STOP' - TASTE DRUCKEN.

ARRÊTEZ VOTRE MAGNÉTOSCOPE LORSQUE LE MESSAGE ENREGISTRÉ SUR CETTE CASSETTE DE NETTOYAGE DEVIENT NET.

Pomme s'étrangla en silence, cramoisie. Lorsqu'elle put enfin respirer à nouveau, elle s'essuya les yeux et chercha par terre le couvercle de son petit pot de crème glacée.

Délice glacé de crottes de nez de zébu aux champignons vénéneux,

lut-elle. Puis, sur le deuxième petit pot : Choucroute surgelée à l'ananas moisi et aux rognures de sabot de yack. Puis encore : Suprême de poils d'aisselle de chimpanzé agrémenté de morve de dromadaire. Et enfin : Velouté de cire d'oreille de chauve-souris relevé de pattes de cafards en gelée.

Pomme jeta les petits pots à terre avec un cri de dégoût. Sa voisine, sans quitter des yeux le message inscrit sur l'écran, en ramassa un au hasard et piocha à l'intérieur. Pomme voulut hausser les épaules, se moquer, mais tout ce qui sortit de sa gorge fut un gros sanglot humide. Puis un autre. Elle chercha dans ses poches un mouchoir, en vain, et s'essuya les yeux dans ses cheveux.

Ses doigts rencontrèrent alors la barrette que sa mère avait fichée dans sa coiffure, quelques heures seulement plus tôt, et au souvenir de ce geste de tendresse qu'elle avait accueilli avec indifférence et agacement, Pomme fut prise d'une crise de larmes, de hoquets douloureux qui lui brisèrent le cœur. Elle retira délicatement la barrette de ses cheveux, la tint devant elle en essayant de se souvenir de ses parents, de sa maison, de ce petit univers douillet qu'elle avait si longtemps méprisé. Elle jeta un regard autour d'elle, et à la vue des autres petites filles pas sages, un frisson la parcourut. Si elle ne trouvait pas un moyen de s'échapper, bientôt elle serait comme toutes les autres. Son regard

deviendrait vide, elle finirait par s'habituer à la routine abrutissante du téléviseur et aux trésors dégoûtants du frigidaire. Sa barrette à la main, elle se leva et grimpa les marches de l'escalier. Arrivée sur le palier, elle passa la main sur le bois massif de la porte, regarda avec désespoir les énormes gonds métalliques qui la maintenaient en place, la serrure noire par laquelle filtrait un mince rayon de lumière poussiéreuse. Elle appuya sur la poignée, tira, poussa, tout cela dans le plus parfait silence et sans résultat. Puis, mue par la panique plus que par un quelconque espoir, elle glissa la pointe de sa barrette dans la serrure. Le pêne de la serrure s'enclencha avec un grand

CLAC qui surprit Pomme, et la barrette vibra dans sa main, comme

animée d'un souffle de vie. Pomme la retira de la serrure, et vit que la barrette de sa maman était toute tordue, noire, calcinée, comme si elle avait été brûlée dans un grand feu. Avec d'infinies précautions, Pomme la remit dans ses cheveux, et tira la porte de la cave, qui s'ouvrit avec un affreux grincement. Le cœur de Pomme battait à tout rompre dans sa poitrine. Monsieur Sandor l'avait certainement entendue, et d'une seconde à l'autre il allait jaillir des profondeurs de la boutique pour se jeter sur elle et l'enfermer à jamais dans sa prison.

Dans la cave derrière elle, Pomme entendit à nouveau la petite musique militaire ridicule du dessin animé que visionnaient les petites filles pas sages. Sans vraiment réfléchir, elle regarda en arrière et fut prise d'un horrible vertige. Là-bas, tout en bas, dans l'obscurité, la lumière grisâtre du téléviseur se reflétait sur les visages ternes, sans vie, des petites filles pas sages. «J'ai failli finir comme elles!» songea Pomme avec effroi. Elle ne connaissait aucune de ces petites filles, et aucune d'entre elles n'avait eu le moindre geste de gentillesse ou d'entraide envers elle lorsqu'elle s'était assommée en tombant dans la cave, jetée là par Monsieur Sandor. C'étaient vraiment de méchantes petites filles, et le magasin de Monsieur Sandor méritait bien son nom. Mais à l'idée de s'enfuir toute seule et de les laisser croupir à jamais dans cette infecte cave, le cœur de

Pomme se serra. Elle se força à
redescendre toutes les marches, s'at-

tendant à chaque instant à ce que l'ombre gigantesque de Monsieur Sandor apparaisse dans l'encadrement de la porte. Mais elle arriva en bas sans encombre, et se cala, les jambes bien écartées, devant le téléviseur pour bloquer la vue des petites filles, qui se mirent immédiatement à protester.

« Tire-toi ! Va-t'en ! Fous le camp ! On va rater le début ! » Un torrent d'insultes accueillit sa manœuvre. « Écoutez-moi ! Je ne vais pas le répéter deux fois ! » chuchota Pomme d'un ton sévère. « La porte de la cave est ouverte ! Nous avons une chance de filer d'ici ! »

«La ferme! Pousse-toi! On ne voit rien! Je vais t'en coller une!» hurlèrent plusieurs petites filles pas sages. Mais certaines d'entre elles semblaient être un moment sorties de leur état d'hébétude, et regardaient le haut de l'escalier avec un mélange de crainte et d'étonnement. «Il va revenir bientôt! Vite, suivez-moi!»

Pomme s'élança en direction de l'escalier. À peine eut-elle quitté son poste que les petites filles, comme des moucherons fascinés par la lumière grise, tournèrent leur visage à nouveau vers l'écran. Alors, prise d'une rage folle, Pomme donna un grand coup de pied dans le téléviseur, et le générique noir et blanc du film d'animation roumain disparut dans une explosion de couleurs. Un grand

cri monta de la gorge des petites filles pas sages, et d'un même mouvement, elles se jetèrent sur Pomme, qui, sans demander son reste, se précipita dans l'escalier. Elle arrivait en haut des marches quand Monsieur Sandor apparut. Le cri des petites filles pas sages l'avait surpris dans un demi-sommeil, et sa redingote entrouverte laissait apparaître une vieille chemise à jabot de dentelle flétrie par les ans, à moitié sortie de son pantalon. Ses grandes bottines de cuir noir, délacées, menaçaient à chaque pas de lui échapper. Le pompon d'une sorte de bonnet de nuit mangé aux mites rebondissait devant ses yeux. Mais il n'avait rien de ridicule. Ses yeux étaient terrifiants. Toute la méchanceté concentrée de Monsieur Sandor, à côté de laquelle la méchanceté de Pomme et des autres petites filles pas sages ne pesait pas bien lourd, toute la méchanceté de Monsieur Sandor se lisait dans ses yeux et sur son visage

délivré de l'épaisse couche de fond de teint qui lui donnait figure humaine. Pomme se faufila entre ses jambes.

Monsieur Sandor, vif comme un crotale, la saisit par les cheveux. Son cri de triomphe se transforma aussitôt en cri de douleur. La barrette encore fumante lui brûlait la main, l'obligeant à lâcher prise. Il vacilla sur lui-même, fut immédiatement bousculé par la horde de petites filles pas sages qui déboulèrent dans la boutique. Son cri de rage transperça les tympans de Pomme, la cloua sur place. La porte du magasin s'ouvrit sous la poussée conjointe des petites filles qui s'éparpillèrent aussitôt dans la ruelle et poussèrent un long hurlement de désir et d'effarement en redécouvrant pour la première fois

depuis longtemps la lumière du petit
matin et l'odeur enivrante des pavés
mouillés de pluie. Un grand courant

d'air pénétra dans la boutique, et
repoussa l'odeur de cendre et de

regrets dans la cave, où elle s'enflamma au contact des débris du téléviseur avec un bruit sec. Monsieur Sandor hurla comme la lumière du jour entrait dans le magasin et dispersait les miasmes dont il s'était entouré avec application depuis tant d'années. Il baissa les yeux vers Pomme agenouillée à terre, et sa bouche s'ouvrit en un horrible rictus de vengeance :

« Nous… avons… laissé… filer… notre… fonds… de… commerce… ! Nous… allons… payer… cher… cette… vilaine… action ! » Monsieur Sandor soupira, un long soupir horrible et puant qui s'insinua partout dans la pièce, repoussant à nouveau l'air frais à l'extérieur du magasin et refermant lentement la porte. Ses ongles squameux s'approchèrent du visage de Pomme, et elle ferma les yeux pour chasser cette vision d'horreur. «Tant pis…» songea-t-elle. «J'ai fait de mon mieux. J'ai essayé. Et au moins les autres petites filles pas sages ont-elles pu s'échapper…»

À cette pensée, elle ressentit pour la seconde fois ce sentiment inconnu et déchirant la traverser, ce sentiment qui l'avait déjà empêchée de s'enfuir seule en laissant ses camarades à leur triste sort… Et les

griffes de Monsieur Sandor se refer-
mèrent sur ses épaules.

*
* *

Monsieur Sandor poussa un cri de
souffrance et de rage mêlées. Il lâcha
Pomme, qui alla rouler sur le sol, et
contempla ses deux mains abîmées,
noircies, calcinées. «Une… bonne…
pensée…!» gémit-il, amer et incré-
dulc. «Nous… avons… été… brû-
lé… par… une… bonne… pen-
sée…» Il tenait au bout de ses longs
bras d'araignée ses deux mains inutiles, encore fumantes, et son air de
stupéfaction douloureuse était si
pénible à voir que Pomme ne put

retenir une excuse: «Je suis désolée…
Je ne l'ai pas fait exprès…»

«NON!» hurla Monsieur Sandor.
«NNNNOOOOOONNNNNN!» Il reçut
la gentillesse de Pomme à travers la
figure comme un coup de fouet et
fut projeté en arrière contre la porte

de la cave. Ses jambes se dérobèrent
sous lui et il s'écrasa à terre comme
un pantin désarticulé. Il tenta de se
remettre debout, roulant des yeux
fous, bavant de haine, mais ses mains
brûlées l'encombraient. «Attendez,
vous allez vous faire mal!» cria
Pomme. «Laissez-moi vous aider…»

Les yeux de Monsieur Sandor s'exorbitèrent. Ses lèvres se retroussèrent sur ses gencives comme s'il s'apprêtait à mordre. Il réussit à hurler une dernière fois: «ASSEZ! ASSEZ... DE... BONNES... PENSÉES!» et puis tout alla très vite. Au contact de la compassion de Pomme, sa peau se craquela, se mit à fumer. Il tenta de se jeter sur elle, mais son corps entier s'embrasa. En l'espace de quelques secondes, sa méchanceté se consuma d'elle-même et il se désintégra. Une fine pluie de cendres retomba sur le sol, et un dernier relent nauséabond de regrets inutiles parvint aux narines de Pomme.

Lorsque sa mère entra dans la chambre de Pomme, elle remarqua tout d'abord que la fenêtre était grande ouverte. «Ma pauvre chérie va avoir attrapé froid!» songea-t-elle, et elle referma doucement la vitre. Elle se pencha ensuite sur le lit, sans remarquer les traces de boue et de cendre qui maculaient le tapis, et découvrit Pomme profondément endormie. «Ma chérie», murmura-t-elle, «c'est l'heure d'aller à l'école…» Pomme cligna des yeux, et sa maman se dit: «Elle va être d'encore plus mauvaise humeur que d'habi-

tude…» Quelle ne fut pas sa surprise quand Pomme, enfin réveillée,
au lieu de hurler, comme à son habi-
tude, qu'elle voulait son chocolat
chaud TOUT DE SUITE!, se jeta dans
ses bras et la serra fortement sans
dire un mot. Sa maman ne pouvait
pas savoir que Pomme, qui avait été
une petite fille pas sage, venait de
découvrir, grâce à Monsieur Sandor,
l'effrayant pouvoir de la gentillesse.